Tytuł oryginału: Dos cuentos de... Dragones
Skład i łamanie: Paweł Węglewski
Korekta: Marcin Malicki

Wydawca: Book House Sp. z o.o. 2008
www.bookhouse.com.pl
Dział sprzedaży: TROY s.c.; tel. 032 258 95 79

Smocze legowisko

Był raz sobie smok. Fruwał po niebie wysoko i daleko. Pewnego dnia zaskoczyła go burza. Potężny podmuch wiatru targnął jego cielskiem z całych sił. Rozległ się grzmot i piorun rzucił smoka na ziemię.

Nieszczęsny gad, cały poturbowany,
runął z wielkim hukiem
na niewielką farmę.

Na szczęście mieszkała tam Eliza, młoda biedna sierotka, która ujrzawszy smoka, nie przelękła się go ani trochę. Wręcz przeciwnie, zrobiło jej się żal biednego gada i gdy tylko otrząsnęła się ze zdumienia, zabrała się do opatrywania jego ran.

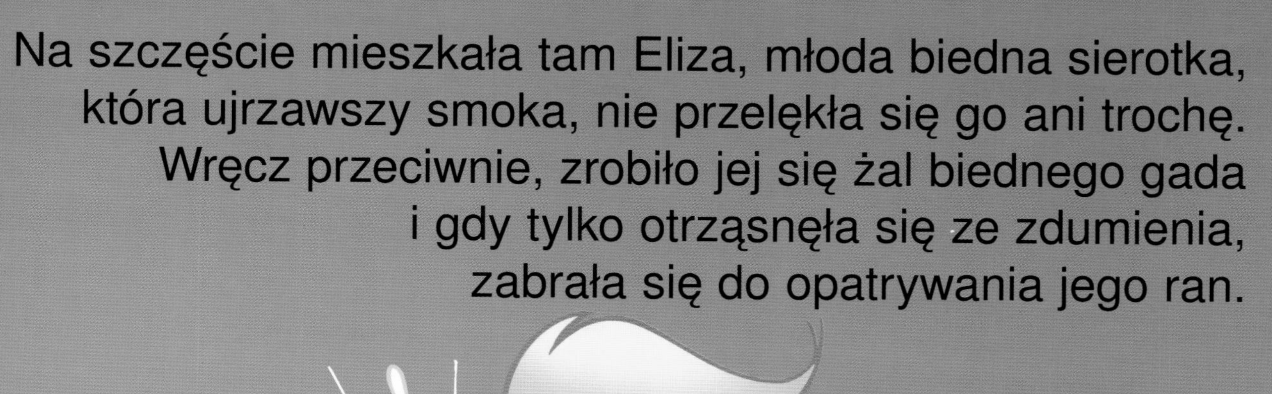

Eliza uratowała życie smokowi. Dbała o niego, jakby był niewinnym barankiem. Poiła go z olbrzymiej misy bulionem jarzynowym, do którego musiała zużyć niemal wszystkie warzywa ze swoich grządek.

Dziewczynka i smok zostali przyjaciółmi.
A ponieważ był to pierwszy na świecie smok,
który został przyjacielem człowieka, nadała mu imię Miluś.

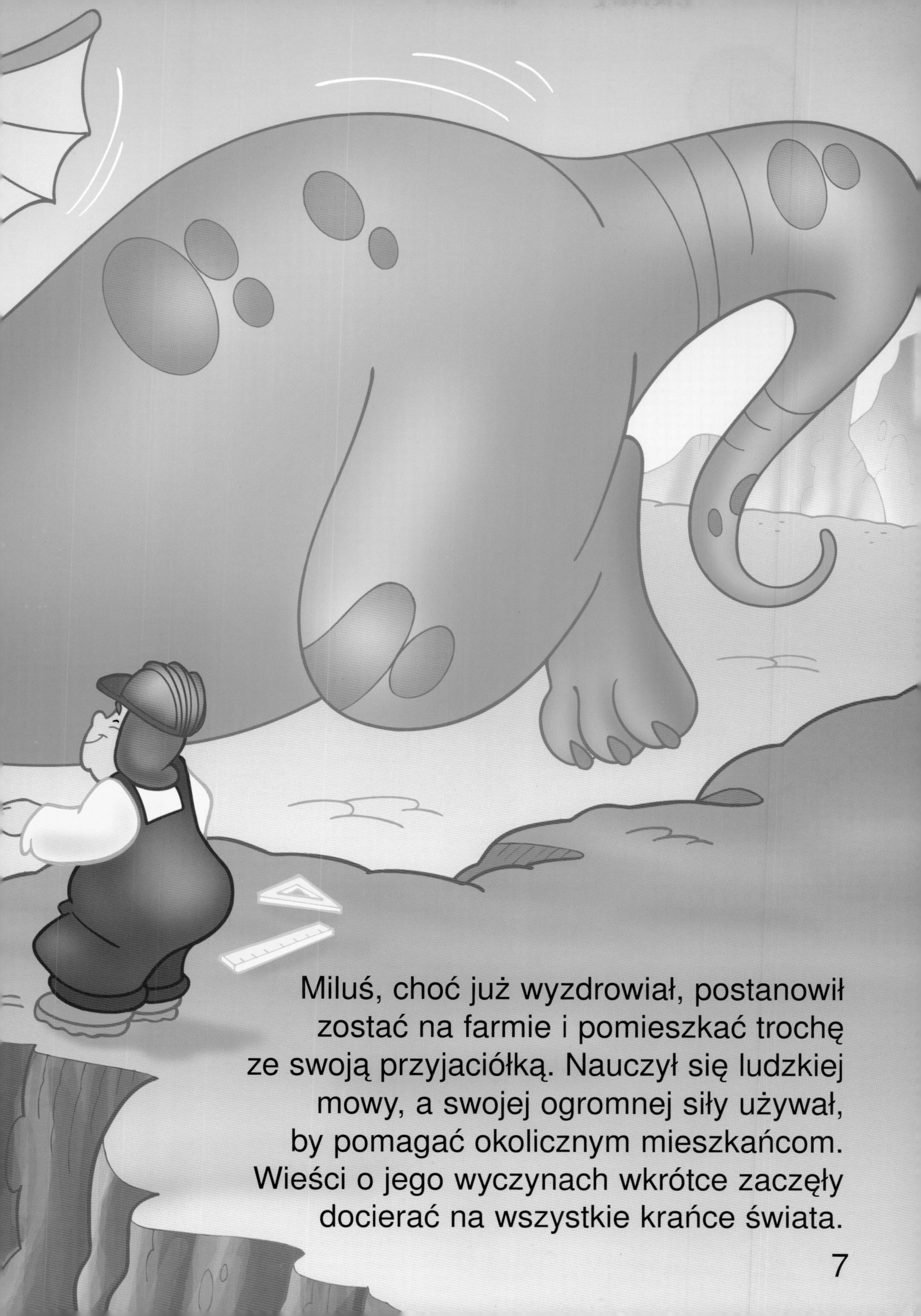

Miluś, choć już wyzdrowiał, postanowił zostać na farmie i pomieszkać trochę ze swoją przyjaciółką. Nauczył się ludzkiej mowy, a swojej ogromnej siły używał, by pomagać okolicznym mieszkańcom. Wieści o jego wyczynach wkrótce zaczęły docierać na wszystkie krańce świata.

Dotarły też do uszu potężnego kalifa, któremu przyszło na myśl, że gdyby smok zamieszkał w jego królestwie, zdołałby wzbudzić zazdrość i podziw innych władców.

Kalif zaprosił Milusia
i Elizę do swego
pałacu. Gdy ci przybyli
na miejsce, oświadczył
im, że jeśli zgodzą
się zamieszkać
w jego królestwie,
da im wszystko,
czego zapragną.

– Wygodne łóżko – to jest to,
czego mi trzeba! – zawołał na to smok.
– A ja chcę poduszkę taką samą,
jaką on będzie miał! – powiedziała Eliza.

– Umowa stoi! – odparł kalif, sądząc, że jest to niska cena za taki nabytek. Od razu rozkazał zbudować olbrzymie łoże godne smoka. Powstał piękny, okazały mebel, ale to nie wystarczyło Milusiowi.

Kalif nakazał swoim mędrcom dowiedzieć się, na jakich łożach sypiają smoki. Jakże wielkie było jego zdumienie, gdy okazało się, że smok, aby dobrze wypocząć, potrzebuje ogromnego legowiska ze złota i drogich kamieni!

Kalif musiał niemal całkowicie opróżnić swój skarbiec, by zbudować łoże. Danego słowa musiał przecież dotrzymać.

Miluś mógł wreszcie wypocząć
w prawdziwym smoczym łożu.
Eliza również otrzymała swoją „poduchę”,
czyli wóz wypełniony złotem.

Od tej pory smok niestrudzenie pracował, pomagając ludziom. Nie przeszkadzało mu to ani trochę, gdyż wiedział, że w nocy wyśpi się jak król w swoim znakomitym łożu. Eliza natomiast rozdała swoje bogactwa biednym i nigdy nie opuściła swego wielkiego przyjaciela.

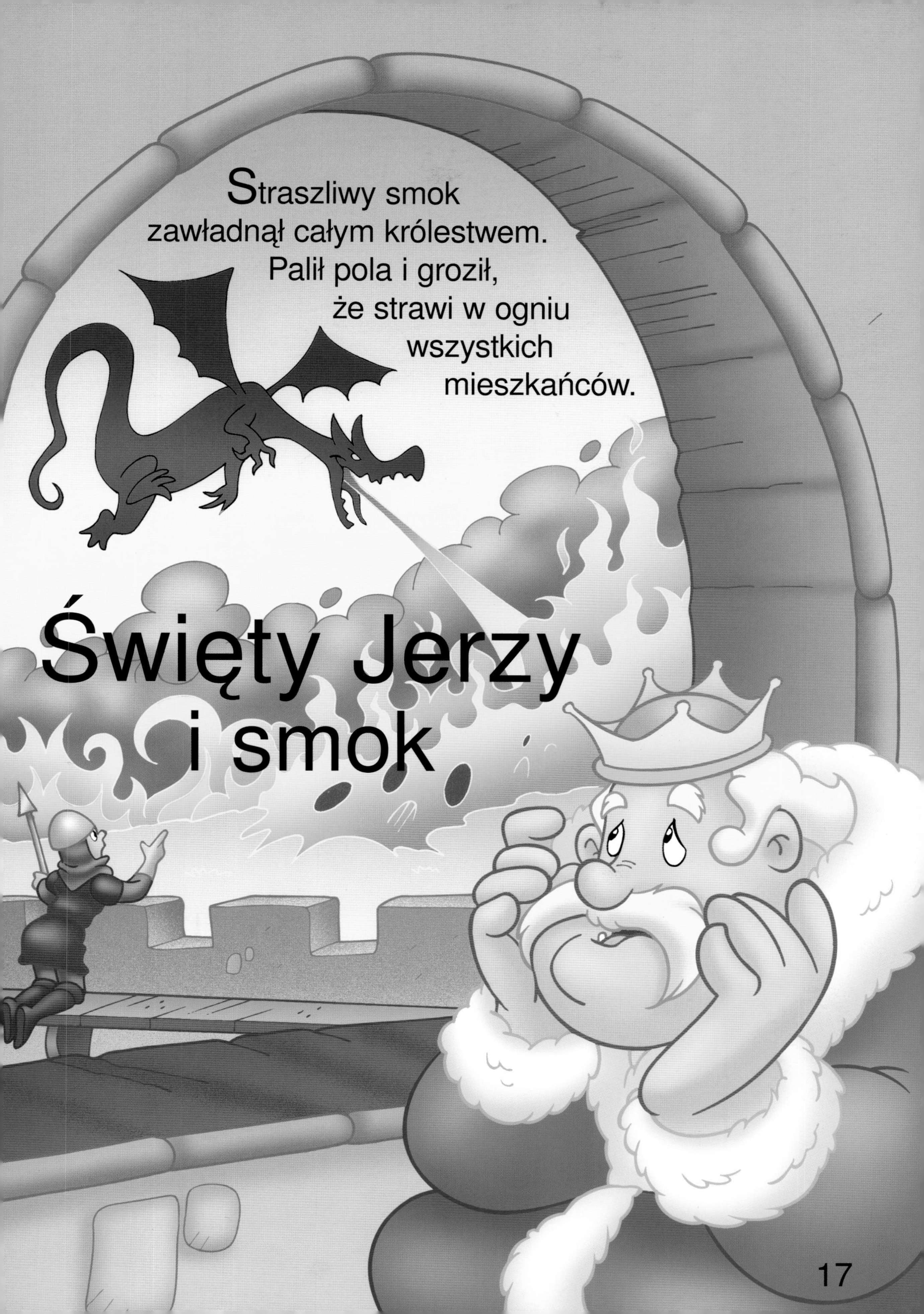

Święty Jerzy i smok

Straszliwy smok
zawładnął całym królestwem.
Palił pola i groził,
że strawi w ogniu
wszystkich
mieszkańców.

Jakby tego było mało, smok wciąż żądał danin ze zwierząt. Królewskie stada z każdym dniem stawały się coraz mniej liczne. Król wysłał w końcu najsławniejszego wojownika, żeby raz na zawsze rozprawił się ze smokiem.

– To najlepszy moment, żeby go zaatakować – rzekł król.

– Dziś przyjdzie po owce, które od nas wymusił.

Starania króla poszły na marne. Potworny smok, ziejąc strumieniami ognia, przepędził wojownika.

– Wielkie nieba! – krzyknął zrozpaczony król.
– Czy nikt nie wyzwoli nas
od tej potwornej bestii?
Nasze pola i stada wkrótce
przestaną istnieć!

I rzeczywiście, nie trzeba było na to długo czekać. Potem okazało się, że i obory, i zagrody są już całkiem puste. Smok pożarł wszystkie zwierzęta i wciąż żądał dla siebie nowych danin pod groźbą zniszczenia królestwa i jego mieszkańców.

– Teraz przyjdzie na nas kolej! – trwożyli się mieszkańcy.

Lecz kto się zgłosi na ochotnika? Nikt nie chciał zginąć w paszczy smoka, dlatego zorganizowano losowanie. Włożono do misy małe karteczki. Ten, kto wyciągnie oznaczoną karteczkę, miał być ofiarą dla smoka.

Rozpacz króla była ogromna,
gdy okazało się, że tę straszną karteczkę
wylosowała jego własna córka.

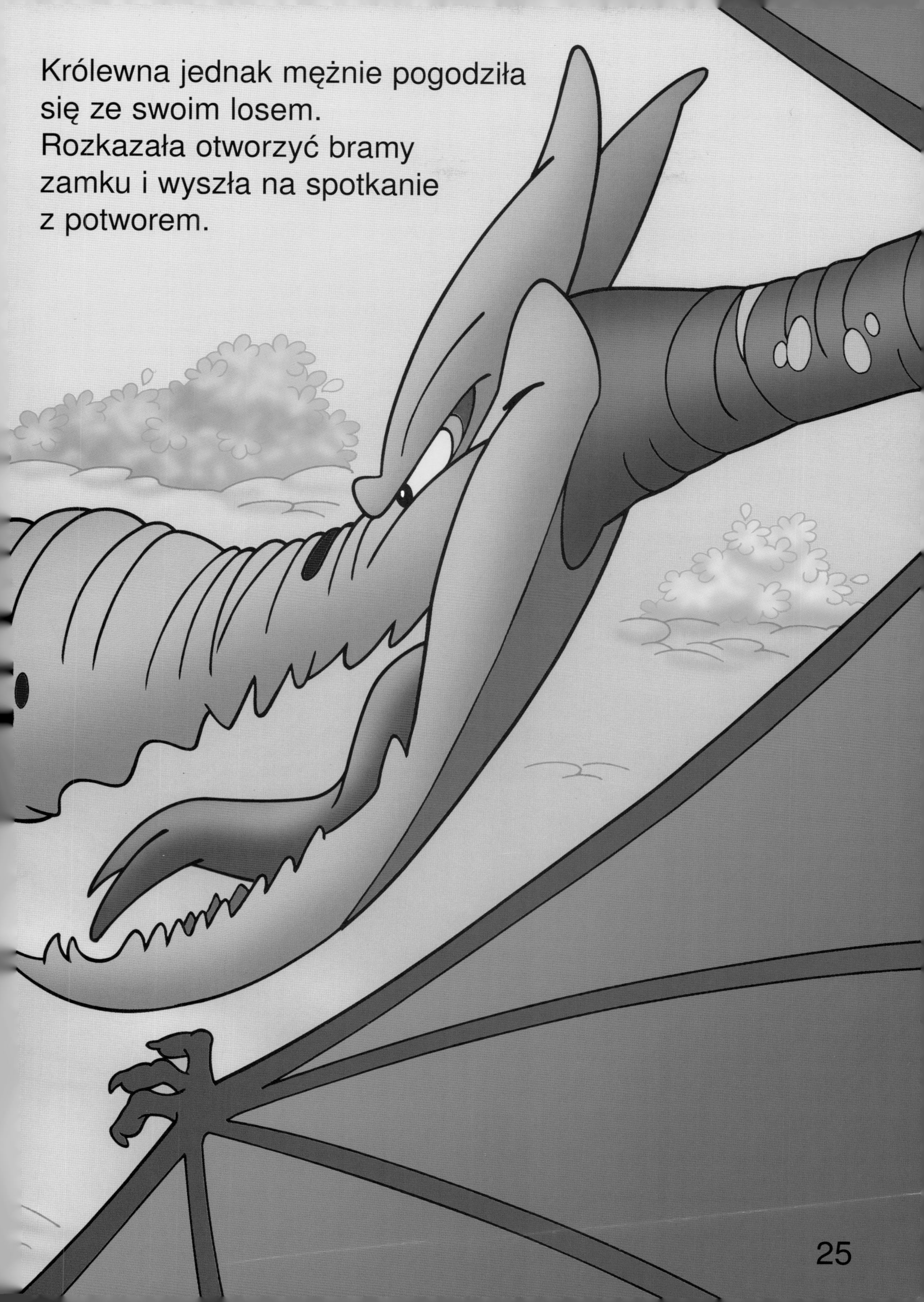

Królewna jednak mężnie pogodziła się ze swoim losem. Rozkazała otworzyć bramy zamku i wyszła na spotkanie z potworem.

Wtedy zdarzyło się coś zdumiewającego.
Nie wiadomo skąd pojawił się młody rycerz
galopujący na grzbiecie białego rumaka.
W jednej dłoni trzymał miecz, w drugiej włócznię.
Kiedy smok zamierzał już porwać królewnę,
rycerz wyzwał bestię na pojedynek.
Wściekły smok miotał potężnymi strumieniami ognia.

Tajemniczy rycerz wskoczył
na chmurę ognia i wbił włócznię
prosto w brzuch potwora, w jego najczulsze miejsce.
Walka była straszna, ale w końcu smok padł martwy.

– To cud! – krzyczeli zachwyceni ludzie.
I rzeczywiście stał się cud, bo z krwi smoka zaczęły wyrastać róże. Królewna chwyciła w dłoń jedną z nich i poprosiła rycerza, żeby został w jej królestwie.
Lecz ten odpowiedział:
– Nie mogę zostać, bo czekają na mnie inne zadania.

Kiedy rycerz spostrzegł smutek
na twarzy królewny, dodał:
– Obiecuję, że przybędę zawsze wtedy,
gdy będziecie mnie potrzebowali.
To rzekłszy, rycerz pożegnał się i pogalopował
na swoim rumaku. Wszyscy mieszkańcy królestwa
patrzyli za nim, aż w końcu całkiem zniknął
za horyzontem. Tym tajemniczym
rycerzem był święty Jerzy.